La rivale

D'après la série Foot 2 Rue, librement adaptée
d'un roman de Stefano Benni.
Conçue par Giorgio Welter et Philippe Alessandri.
Écrite par Peter Berts, Vincent Costi,
Nathalie Reznikoff, Séverine Vuillaume, Marco Beretta,
Cyril Tysz, Guillaume Enard.
Réalisée par Stéphane Roux et Bruno Bligoux.
Illustration de couverture réalisée par Florence Demaret.
© Télé Images Kids et de Mas & Partners.

La rivale

hachette
JEUNESSE

Port-Marie

La ville de Port-Marie est située sur les rives de la Méditerranée. Entre mer et montagne, la vie y est ensoleillée !

Le petit monde de
l'Institut Riffler

L'Institut Riffler est une des plus vieilles écoles de Port-Marie, fondée par le comte Riffler.

Mademoiselle Adélaïde

La directrice de l'Institut est sévère mais juste, comme beaucoup de directrices !

Chrono

Le gardien de l'Institut. C'est un véritable pilier de l'école, car il sait écouter les élèves.

LES BLEUS DE RIFFLER

L'équipe de foot de rue la plus célèbre de Port-Marie est née à l'Institut Riffler. Les premiers champions du monde de ce sport, ce sont eux, les Bleus de Riffler. Depuis leurs débuts, la composition de l'équipe a changé. Voici ses membres actuels :

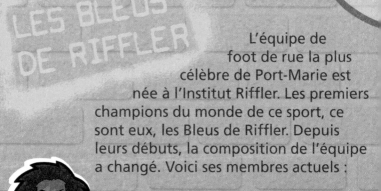

Tag

Le capitaine. Il joue comme un dieu, et fait craquer les filles… hein, Éloïse ? Tag souffre d'être orphelin, ce qui le ren parfois dur et solitaire. Mais c'est aussi lu qui trouve les solutions au bon moment, et réunit toute l'équipe.

Gabriel

Ses parents vivent en Afrique… Alors parfois, il se sent un peu seul. Heureusement, il y a Tag, son meilleur ami. En plus d'être un as du ballon rond, Gabriel est un garçon profondément gentil.

Éloïse

C'est le gardien de but de l'équipe, et la descendante du comte Riffler ! Elle a du caractère, et un talent impressionnant. Eh oui, le foot de rue, ce n'est pas réservé aux garçons !

Samira

L'autre fille de l'équipe est aussi une joueuse d'exception. Bosseuse et énergique, Samira sait rester féminine. Dans la cité où elle vit, elle est connue pour son caractère bien trempé !

Jérémy

Adepte du free style, il est très doué avec un ballon ! Ce qu'il aime, au foot comme dans la vie, c'est frimer et faire rire. Au fond, Jérémy est un dur au cœur tendre.

Amitié Respect Solidarité

Ce sont les principales valeurs du foot de rue.
C'est un mode de vie autant qu'un sport.

Les règles

Les règles du foot de rue sont celles du football classique, avec beaucoup de liberté et de souplesse en plus. Par exemple, le tirage de maillot est autorisé et l'obstruction n'existe pas, pas plus que le hors-jeu. Le nombre de joueurs par équipe et les dimensions du terrain s'adaptent aux circonstances…
Toutes les méthodes sont bonnes pour tromper l'adversaire, sauf la violence, bien sûr !

L'histoire

En gagnant le premier Mondial de foot de rue, les Bleus ont prouvé qu'ils n'avaient pas volé leur réputation. Ils sont non seulement les plus forts à Port-Marie, mais aussi une des meilleures équipes du monde !
Leur plus grande victoire a été d'imposer le foot de rue comme un sport à part entière. Même leurs ennemis d'hier ont changé d'avis.

Mais de nouveaux défis attendent les Bleus. Ils doivent défendre les valeurs du foot de rue, que le succès du sport risque de faire oublier. Et un nouveau Mondial se prépare…
Cette fois, se qualifier ne sera pas un jeu d'enfant : les équipes en compétition sont plus nombreuses et mieux préparées ! Et maintenant, les Bleus de Riffler sont l'équipe à abattre !

Les amis

Heureusement, pour les aider, les Bleus peuvent compter sur leurs amis.

Les Tekno

Anciens membres des Bleus, ces frères jumeaux sont passionnés de foot, et des buteurs nés. Tout ce talent ne passe pas inaperçu : les Tekno ont été repérés et s'entraînent à l'Olympique de Port-Marie. Mais ils seront toujours là pour aider les Bleus !

Requin

En plus d'être un joueur de foot de rue, Requin est un leader respecté. C'est un peu un grand frère pour les Bleus. Sa connaissance de Port-Marie et de ses équipes lui permet souvent de trouver des solutions aux problèmes les plus délicats !

Fédé

Ancien joueur professionnel, Fédé est un expert du foot. Il a lui-même participé à plusieurs coupes du monde. C'est lui qui a organisé le premier Mondial de foot de rue. Ses conseils sont toujours précieux pour les Bleus.

Chapitre 1

La cérémonie

C'est une vieille coutume à Port-Marie. Une fois par an, la ville récompense les jeunes qui se sont distingués. La cérémonie a lieu en plein air, sur une place du centre. Elle se déroule en soirée, en présence de diverses personnalités et, bien sûr, de tous les habitants de

moins de dix-huit ans de l'agglo-
mération.

Comme chaque année, made-
moiselle Adélaïde accompagne ses
élèves. Jérémy a suivi le mouve-
ment, mais il ne se sent pas vraiment concerné par l'événement.
Alors que le clan Riffler va s'installer dans les gradins aménagés pour
l'occasion, il trouve le moyen de se
faire remarquer.

— Si encore on décernait le prix
de l'élève le plus drôle de l'année,
j'aurais une chance de gagner…

La directrice, qui a toujours une
oreille qui traîne, ne peut s'empê-
cher de lui répondre.

— Ne te crois pas si exceptionnel, Jérémy ! Sans vouloir me van-

ter, j'en ai maté de beaucoup plus coriaces que toi !

— D'accord, mademoiselle ! réplique Jérémy. Dans ce cas, peut-être que je pourrais recevoir le prix de l'élève le plus collé de l'histoire de Port-Marie ?

— Oui, celui-là, tu as de bonnes

chances de l'emporter ! conclut la directrice en souriant.

Les Bleus éclatent de rire tandis que des jeunes continuent d'arriver. En se dirigeant vers leur tribune, quelqu'un interpelle Éloïse.

— Salut, Riffler ! lui lance une jeune fille vêtue d'un tailleur strict. Ou plutôt Lolo, c'est comme ça que je t'appelais quand on était gamines !

Éloïse se retourne et reconnaît Victoire Malotra, une jolie métisse qui était son amie en primaire.

— Victoire ! Ou plutôt Vic ! Comme je t'appelais...

Les deux jeunes filles s'embrassent. Même si elles ne se sont pas vues depuis des années, elles ne semblent pas particulièrement émues de se retrouver.

— On m'appelle toujours Vic, précise Victoire. Faut dire que les autres répétaient toujours ce que tu disais…

— Ça fait drôle de se revoir. Comment ça va, toi ? demande Éloïse. Toujours à Saint-Xavier ?

— Pas grand-chose de neuf depuis que tu es partie. Comme tu le sais, à Saint-Xavier, les choses n'évoluent pas beaucoup !

— Tu devrais changer de collège, je te l'ai toujours dit.

— Tu plaisantes ! Papa prendrait

ça comme une trahison. Et puis, je suis très bien là-bas, je te remercie.

Victoire a toujours été un peu sèche.

— Bon ben, faut que j'y aille, reprend Éloïse. À la prochaine !

— Salut, Lolo !

La jeune comtesse retrouve ses amis qui l'interrogent aussitôt sur sa rencontre.

— Une ancienne copine… On était ensemble à Saint-Xavier…

Samira prend un air distingué et s'exclame d'une voix précieuse :

— Oh ! Mais vous ne m'aviez pas dit que vous fréquentiez Saint-Xavier, très chère !

— Saint-Xavier ? demande

Jérémy sans comprendre de quoi il s'agit.

— Une école pour snobinards coincés, précise Tag. Pour y entrer, t'as intérêt à avoir un compte en banque bien rempli. Une somme avec plus de zéros que ton carnet de notes !

La plaisanterie ne fait pas rire Éloïse.

— Sauf que Vic n'est ni snob ni riche, dit-elle. Elle est intelligente et travaille beaucoup. Accessoirement, c'est la fille du directeur de l'école !

Éloïse désigne discrètement la tribune où s'est regroupé le clan Saint-Xavier.

— C'est celui qui porte des lunettes et un costume beige.

Victoire vient d'ailleurs de s'asseoir à côté de lui.

— C'est bien la petite Riffler avec qui tu parlais ? lui demande-t-il.

— Oui, papa. On s'est juste dit bonjour… On n'est plus amies depuis longtemps !

—J'aime mieux ça... Une petite sotte qui quitte Saint-Xavier pour une école publique, ça n'est pas une grosse perte !

À présent, les gradins sont bien remplis. La tension est montée d'un cran alors que la nuit tombe sur la ville.

Des essais de micro résonnent dans l'arène. Puis un projecteur se braque sur un homme en costume qui monte sur scène.

Chapitre 2

L'humiliation

Sourire aux lèvres, le présenta-teur se place au centre de l'estrade, derrière un pupitre équipé d'un micro. Il commence par saluer les personnalités assises au premier rang.

— Et maintenant, annonce-t-il, je déclare ouvert le gala annuel des

[21]

écoles de Port-Marie, qui récompense et célèbre le talent et le travail de notre jeune génération !

Un tonnerre d'applaudissements s'élève des gradins.

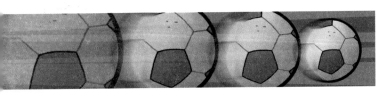

— Sans plus tarder, poursuit-il, voici le moment de remettre le prix de l'élève qui s'est le plus distingué cette année ! Après délibération de tout le corps enseignant de Port-Marie, le trophée tant convoité est décerné à…

Le présentateur entretient le suspense. Il parcourt l'assemblée du regard tout en ouvrant une enveloppe. Un lourd silence accompagne son geste.

— … à Victoire Malotra, du collège Saint-Xavier !

Très digne, la lauréate se lève pour gagner la scène sous les acclamations du public. Son père l'observe avec orgueil.

— Je vous avais bien dit qu'elle était très forte, dit Éloïse à ses amis.

Une fois de plus, Jérémy se croit obligé de faire le clown et se met à siffler.

— Intello ! Intello ! hurle-t-il en plaçant ses mains en porte-voix.

Le présentateur passe une médaille autour du cou de Victoire, qui redresse fièrement la tête.

— Félicitations à notre petite surdouée ! dit-il. Victoire… On peut dire que tu portes bien ton nom.

Puis il lui laisse la place au micro. L'ancienne amie d'Éloïse remercie poliment la ville et les membres du jury. Puis son visage change d'expression, alors qu'elle se tourne vers la tribune Riffler.

— Je voudrais aussi dire à l'abruti qui m'a sifflée que…

— … que la soirée va se poursuivre avec un prix très spécial, coupe le présentateur en la bousculant. Un prix que la ville décerne cette année à titre exceptionnel… à ceux qui sont devenus la gloire de Port-Marie, à ceux qui ont réussi l'impossible…

À ses côtés, Victoire blêmit.

— J'appelle M. Maroni, notre maire, continue le présentateur, pour remettre aux Bleus la coupe de la ville !

Tonnerre d'applaudissements !

Victoire se sent humiliée. On lui

a volé la vedette. Cette cérémonie aurait dû être la sienne. Pourtant, à cause des Bleus, elle ne sera pas la reine de la soirée. Folle furieuse, elle quitte brusquement la scène tandis que le public ovationne les champions du monde, surpris par cette distinction.

À leur tour, ils montent sur scène pour recevoir des mains de M. Maroni le trophée.

Victoire s'est rassise à côté de son père. Elle regarde rageusement Éloïse brandir la coupe.

Son père est aussi fâché qu'elle.

— Quelle mascarade ! Tout ça pour cinq idiots qui tapent dans un ballon ! Regarde-la, la fille à papa…

Le gros lot lui tombe tout cuit dans le bec… C'est une honte de voir ça. Allons-nous-en, Victoire !

Chapitre 3

La démonstration

Ce prix de la ville, attribué aux Bleus, a renforcé leur popularité. Depuis la cérémonie, leur emploi du temps s'est fortement alourdi.

De nombreuses classes des écoles primaires de Port-Marie défilent à leur QG pour rencontrer les champions du monde. Témoignages d'admiration, demandes d'autographes, questions sur leurs parcours respectifs... Tag et son équipe se plient à l'exercice de la célébrité.

Mais ce prix de la ville a eu une autre conséquence, plus inattendue celle-là : il a ravivé la jalousie de Victoire envers Éloïse. Qu'est-ce que les Bleus ont accompli de si extraordinaire pour mériter ce triomphe ? Qu'est-ce qu'Éloïse a de plus qu'elle ? Et que pourrait-elle faire pour se venger de l'affront qu'elle a subi ?

Il ne lui faut pas longtemps pour trouver une réponse. Elle va devoir se mesurer à Éloïse et aux Bleus, et les battre sur leur propre terrain.

Autrement dit, elle va devoir apprendre à jouer au foot de rue. Et, bien sûr, elle sera la meilleure.

Depuis plusieurs semaines, Victoire s'entraîne quotidiennement. Ballon au pied, elle court sur les hauteurs de la ville, pendant des heures.

« Rapidité, agilité, endurance ! » se répète-t-elle.

Pour devenir plus réactive, elle travaille tous les aspects du déplacement : footing, sprint, sauts en extension… Afin d'apprivoiser le ballon, elle apprend à se servir de ses pieds, de sa tête, de sa poitrine, de ses genoux. Elle jongle, elle dribble et s'impose des séances interminables de tirs au but.

Enfin, elle se met à la musculation et améliore sa souplesse en multipliant les acrobaties.

De nature sportive, elle progresse rapidement.

« Je serai bientôt prête, se dit-elle. Très bientôt. »

De leur côté, les Bleus s'entraînent aussi.

Les qualifications se poursuivent et ils doivent affronter les Bombes Atomiques. Une équipe réputée pour ses actions explosives. Requin les qualifie de « rouleaux compresseurs » et Tag reconnaît leurs qualités physiques autant que tactiques.

— Va falloir être solide en

défense et bosser la contre-attaque, annonce le capitaine des Bleus.

— J'ai une idée pour s'entraîner efficacement, propose Gabriel. On fait ça sur un terrain en pente : les Requins en haut, nous en bas.

— Moi, ça m'est égal, répond Éloïse, je sors pas de mes buts.

Mais ça risque d'être dur pour vous !

— Attaquer en montant ? demande Samira. T'es fou ? Tu veux nous tuer ?

— Moi, je suis d'accord, dit Tag. Comme ça, quand on affrontera les Bombes sur un terrain plat, on aura l'impression de voler !

Jérémy s'approche de Gabriel et lui donne une tape amicale dans le dos.

— Merci, vieux frère ! T'as toujours des idées géniales ! Mais ce serait encore mieux si on s'attachait aux buts d'Éloïse avec des élastiques, tu crois pas ? Et on peut aussi porter des sacs de cent kilos sur le dos !

Quelques jours plus tard, Requins du Port et Bleus au complet atteignent les premières collines sauvages de Port-Marie.

Ils ignorent que Victoire s'impose un entraînement intensif dans les parages.

Requin les conduit jusqu'à un

terrain qui fera parfaitement l'affaire.

Cartoon s'installe entre deux arbres pendant qu'Éloïse fait la même chose en contrebas.

Les deux équipes peuvent se livrer un combat amical. Mais celui-ci tourne rapidement à l'avantage des adversaires des Bleus. Requin, Marteau, Pouss'Mouss et Coud'Boule profitent de leur avantage. Quel plaisir d'attaquer en descente ! Et pour une fois qu'ils ont le dessus sur les champions du monde !

Tag et son équipe sont vite fatigués.

— J'en peux plus ! se plaint Jérémy.

Alors que les Requins lancent une nouvelle attaque, Samira trébuche en voulant tacler Marteau. Ce dernier parvient à centrer mais, au moment où Coud'Boule s'apprête à asséner une de ses célèbres frappes de la tête, Victoire jaillit soudain. Cachée derrière un rocher, elle attendait le bon moment.

Vive comme l'éclair, la meilleure élève de Port-Marie subtilise de justesse le ballon à Coud'Boule. Elle remonte tout le terrain, dribblant Requin, puis Pouss'Mouss. Arrivée près des buts adverses, elle offre une passe millimétrée à Tag qui frappe du pied gauche, ne laissant aucune chance à Cartoon.

L'action de Victoire laisse tout le monde stupéfait.

— Pas si empotée que ça pour une intello ! observe Jérémy.

— Bravo, Vic ! lance Tag. Belle démonstration de foot de rue !

— Quand je veux quelque chose, je fais tout pour l'avoir !

répond-elle avec assurance. Et je veux jouer dans ton équipe !

Les Bleus échangent des regards surpris. Cette fille ne manque vraiment pas de culot !

— Merci de ton offre, dit Tag. Mais mon équipe est déjà au complet.

Victoire ne s'attendait pas à

cette réponse. Elle pensait que son coup d'éclat aurait suffi à la faire accepter. Une fois de plus, elle se sent humiliée et a du mal à cacher sa vexation.

Éloïse tente de la consoler.

— Tu es une excellente joueuse, Vic ! Tu n'auras aucun mal à trouver une équipe !

— Absolument ! renchérit Tag. Tu me parais très douée.

Victoire le fixe dans les yeux en croisant les bras.

— Oh ! Mais je ne suis pas pressée, capitaine ! J'attendrai mon tour sur le banc de touche !

Tag sourit, mal à l'aise. L'insistance de cette fille l'embarrasse.

— Je crois que tu n'as pas bien compris, dit-il. Je suis désolé, il n'y a pas de place libre dans l'équipe. Et il n'y en aura pas avant un moment. Mais merci quand même !

Le regard de la jeune fille se durcit de nouveau. Serrant les dents, elle tourne les talons et s'éloigne sans que personne dise un mot pour la retenir.

Mais Gabriel décide de la rattraper.

— Vic, attends !

Elle se retourne.

— Si tu as envie de former une équipe à toi, poursuit Gab, je peux te donner un coup de main... Enfin, si tu veux...

Chapitre 4

Le fiasco

L'idée de Gabriel est excellente.
Comment Victoire n'y a-t-elle pas
pensé toute seule ? Plutôt que de
chercher à s'imposer au sein des
Bleus, elle a tout intérêt à former
sa propre équipe et à affronter les
champions du monde à la pre-
mière occasion.

Mais où trouver des joueurs ? Elle ne fréquente personne en dehors des élèves de Saint-Xavier. C'est donc parmi eux qu'elle doit recruter. Avant d'en arriver là, il lui faut convaincre son père. Et ça n'est pas une mince affaire.

— Non, non et non, Victoire ! s'écrie M. Malotra en se levant de son bureau, contrarié. Je suis surpris que tu aies eu une idée pareille. Une équipe de football de rue à Saint-Xavier... Mais tu es tombée sur la tête, ma petite fille !

Victoire connaît bien son père. Elle baisse les yeux et vient s'installer sur ses genoux pour l'amadouer. L'art de la contre-attaque n'a plus de secret pour elle.

— Ce n'est même pas un sport ! poursuit le directeur de Saint-Xavier. C'est un jeu pour les petits voyous de banlieue. Tu imagines mes élèves se mélanger avec les classes populaires de la ville ?

— Et pourquoi pas ? réplique alors Vic. Ce serait bon pour tes élèves, mais aussi pour l'image du

collège ! Le foot de rue a un succès incroyable partout. Tu as bien vu l'autre soir, à la remise des prix !

— Ne m'en parle pas ! reprend son père d'un air dégoûté. Même ce crétin de maire a félicité ces joueurs de baballe à la noix !

— Réfléchis, papa ! C'est l'occasion pour Saint-Xavier de se débarrasser de sa réputation d'école pour gosses de riches, gâtés et stupides !

— Mais enfin, Victoire, personne ne pense une chose pareille !

— Si, papa. Tout le monde ! Mais si on avait la meilleure équipe de Port-Marie... ça changerait tout...

M. Malotra n'est plus aussi sûr de lui. Sa fille lui ouvre les yeux sur une réalité qu'il a du mal à admettre.

— Toujours aussi têtue, toi ! dit-il. Après tout, tu as peut-être raison. Ça pourrait être une stratégie payante... Mais à une condition !

Il la regarde fixement.

— Il faut vraiment qu'on soit les meilleurs !

— Tu en doutes ? demande-t-elle.

— De toi, pas une seconde !

Mais de ces imbéciles d'enfants privilégiés, oui !

Il éclate soudain d'un rire diabolique.

— Voyons, papa ! dit-elle en faisant semblant de le gronder.

Gabriel n'est pas du genre à revenir sur sa parole. Quelques jours après leur accord, il se rend à Saint-Xavier afin d'aider Victoire à sélectionner quelques jeunes pour son équipe.

Elle a convoqué une quinzaine de garçons et de filles dans la cour. Ils attendent, disciplinés, alignés en rang d'oignons, tous vêtus de l'uniforme de l'école.

Gabriel, lui, a imaginé une série

d'exercices. Un peu de jonglage, une séance de jeu, ballon au pied, et enfin les inévitables tirs au but. Ensemble, avec Victoire, ils invitent les collégiens à montrer ce qu'ils savent faire, les uns après les autres.

Malheureusement, au foot de rue comme dans beaucoup de disciplines, il ne suffit pas de le vouloir pour devenir un champion. Ces candidats-là sont maladroits, peu sportifs et ils manquent de motivation.

Le casting prend fin lorsqu'une jeune fille se met à hurler après s'être pris les pieds dans le ballon.

— Au secours ! Je me suis cassé un ongle !

Victoire lui lance un regard noir et Gabriel sourit tristement. Il ne se doutait pas qu'il aurait à faire face à des cas aussi désespérés.

De retour à Riffler, il raconte le fiasco à Tag et à Jérémy.

— Mais pourquoi tu te lances dans ces causes perdues ? demande ce dernier. Une intello qui joue bien peut sans doute y arriver. Mais si elle s'entoure de quatre fils à papa... c'est mission impossible !

Gabriel ne relève pas, il a l'air abattu.

— N'y pense plus, dit Tag. Ça n'en vaut pas la peine. Bon, je dois y aller, Éloïse m'attend dehors !

— N'oubliez pas le match de demain contre les Bombes Atomiques ! ajoute Jérémy en lui faisant un clin d'œil. Ne vous couchez pas trop tard, les amoureux !

Tag et Éloïse partent près du port. Ils regardent l'eau couler lentement sous eux en mangeant une glace. La nuit va bientôt tomber et la température est douce.

— Tu pourrais me parler un peu de Victoire ? demande Tag. C'était une bonne amie ou juste une camarade de classe ?

— On a été très proches pendant un moment. J'ai toujours été copine avec un peu tout le monde, tu sais. Alors qu'elle avait du mal à se faire des amies… Elle était plutôt du genre solitaire, renfermée, et jalouse… Et ça ne collait pas avec les autres, je ne sais pas pourquoi…

Éloïse était la seule petite fille à ne pas rejeter Victoire, aussi celle-ci s'accrochait désespérément à elle. Éloïse se souvient du jour où Victoire lui avait fait jurer de toujours rester son amie et de ne jamais l'oublier. La toute jeune comtesse avait joué le jeu. Mais à la fin de l'année, lorsque ses parents lui ont fait changer d'école, elle a, malgré elle, tourné le dos à Victoire. Et la fille de monsieur Malotra s'est sentie abandonnée, trahie, victime d'une terrible injustice, plus seule que jamais. Une affreuse rancœur était née. Victoire ne pardonnerait jamais à Éloïse de ne pas avoir respecté leur pacte.

Chapitre 5

Le remplacement

Antoine, le chauffeur des Riffler, a l'air désolé. Le moteur de la limousine a calé à un feu rouge et… impossible de redémarrer.

— Je suis navré, mademoiselle ! Je ne comprends pas…

Assise à l'arrière, Éloïse est très embêtée. Ça tombe vraiment mal.

Le match contre les Bombes Atomiques commence dans moins d'un quart d'heure. Et la route est encore longue !

— Je continue à pied ! déclare-t-elle en ouvrant la portière. À tout à l'heure !

Antoine essaie de la retenir, mais rien n'arrête la jeune comtesse quand elle a pris une décision.

Éloïse saute sur le trottoir et se lance dans une course effrénée à travers les rues pentues de Port-Marie.

C'est une belle journée et les

gens en ont profité pour sortir. Le centre-ville est rempli de monde.

Éloïse est presque arrivée sur la place où doit avoir lieu la rencontre. Mais elle court encore, essoufflée, par peur d'être en retard.

Soudain, au détour d'une ruelle, un garçon d'une dizaine d'années surgit à vélo.

Emportée par son élan, la jeune fille ne peut l'éviter.

Le choc est brutal. Éloïse se retrouve à terre. Elle se tient le genou en hurlant de douleur.

— Aïe !

Le garçon est tombé, lui aussi. La roue avant de son vélo est voilée. Il se relève et se précipite vers la jeune comtesse.

— Tu t'es fait mal ?

Éloïse hoche la tête quand le match à disputer lui revient à l'esprit.

— Mais… Comment je vais faire… ? gémit-elle, catastrophée.

Des promeneurs, témoins de l'accident, s'approchent d'eux.

— C'est pas de ma faute, leur explique le garçon. Elle est arrivée en courant, et je l'ai pas vue…

— Je suis garée là, dit une dame à Éloïse. Je vais te conduire à l'hôpital pour être sûre que tu n'as rien.

Avec son mari, elle aide Éloïse à

se relever. Ensemble, ils l'accompagnent jusqu'à leur voiture.

Quelques secondes plus tard, celle-ci démarre et disparaît du quartier.

Les passants reprennent leur chemin et le garçon ramasse son vélo.

Victoire, qui observait la scène à

distance, s'approche de lui, le regard brillant de détermination.

— Bien joué ! Dès ce soir, tu auras ton nouveau vélo. Et moi... j'aurai enfin ce que je mérite.

Pendant ce temps, sur le terrain, les joueurs s'impatientent.

— Mais qu'est-ce qu'elle fait ? demande Tag en regardant sa montre.

— Je viens d'appeler chez elle, répond Samira. Sa mère m'a dit qu'elle était partie à l'heure. Mais son portable est éteint.

Le capitaine des Bombes Ato-miques s'approche des Bleus.

— Ce retard n'est pas accep-table. Avec ou sans elle, il faut com-mencer le match !

— Désolé, Tag, intervient
Requin. Il a raison, on ne peut pas
attendre plus longtemps. On a déjà
dix minutes de retard. Si tu veux
remplacer Éloïse, tu as trente
secondes pour le faire. Ballon au
centre !

Les Bleus se regardent, catastro-
phés. À quatre contre cinq, ils

n'ont pas beaucoup de chances de l'emporter. Il y a bien Cartoon, qui ne demanderait qu'à jouer... Mais il est quand même plus doué pour faire le clown que pour arrêter un ballon...

C'est alors que Victoire apparaît sur la place.

— Vic ! s'écrie Gabriel, radieux. On n'a qu'à la faire jouer, dit-il à ses coéquipiers.

Samira ne voit pas cette idée d'un bon œil. Tag est tout aussi sceptique.

— Je t'avais bien dit qu'un remplaçant pouvait être utile, lui glisse Victoire d'un air supérieur.

Le capitaine des Bleus n'a pas l'air convaincu.

— Ben quoi ? intervient Jérémy.
C'est pas comme si on se mariait
avec elle. Prenons-la en attendant
qu'Éloïse arrive !

Tag n'a pas le choix. Et encore
moins le temps de réfléchir.

— On se met en place. Vic, tu
prends les buts ! lâche-t-il sans
enthousiasme.

C'est parti ! Requin siffle et le capitaine des Bombes Atomiques donne le coup d'envoi.

Pas de round d'observation. D'entrée de jeu, attaques et contre-attaques se succèdent à un rythme d'enfer. Les Bleus ne sont pas dans un grand jour. Ils perdent des balles faciles et doivent dépenser beaucoup d'énergie pour les récupérer.

Les premières actions spectaculaires sont signées par leurs adversaires. Un de leurs attaquants parvient même à déclencher un tir cadré. Victoire est obligée de plonger pour le bloquer.

— Rappelez-vous l'entraînement, les gars ! dit Tag. On reste

compacts en défense et on les
laisse surtout pas faire le jeu.

Victoire dégage en direction de
Gabriel, mais à la chute du ballon,
trois adversaires foncent déjà sur
lui.

— Passe vite ! hurle Tag. Ne te
laisse pas enfermer.

Trop tard. Deux joueurs lui ont

subtilisé le ballon et partent à l'offensive. Samira se sent seule en défense et appelle du renfort :

— Reculez !

Jérémy et Gabriel ont beau se précipiter, un adversaire centre et le capitaine des Bombes Atomiques arme son tir.

Le ballon quitte son pied à une vitesse prodigieuse. Mais, à la surprise générale, Victoire réussit un geste incroyable : d'un coup de poing éclair, elle dévie le ballon qui atterrit sur la poitrine de Tag.

Le capitaine des Bleus contrôle, puis le bloque sous son pied.

— Bravo, Vic ! lâche-t-il, impressionné. Ça fait deux fois que tu nous sauves la mise.

Victoire ne relève pas mais elle éprouve une immense satisfaction. Jusque-là, tout se déroule à merveille : elle a effectué deux arrêts magnifiques.

Mais elle ne peut pas se contenter de faire aussi bien qu'Éloïse, son ennemie jurée. Elle doit faire plus que simplement stopper les tirs adverses.

Le jeu a repris et elle reste concentrée, les mains sur les genoux. Tag a lancé la contre-attaque. Gabriel a joué avec Jérémy qui lui a rendu le ballon. Il change d'aile et l'expédie à Samira. Hélas, celle-ci le perd au profit d'un défenseur qui a surgi dans son dos.

Victoire enrage de cette maladresse de Samira.

« Cette fois, tu ne peux pas rester les bras croisés, se dit-elle. À toi de jouer ! »

Chapitre 6

L'expulsion

Victoire quitte ses buts et fonce sur le porteur du ballon qui lui tourne le dos, à la recherche d'une solution. D'une glissade, elle le lui subtilise.

Les Bombes Atomiques n'en reviennent pas.

— Bien joué ! s'écrie Tag. Passe à Jérémy, il est seul devant !

Victoire se relève, mais, désobéissant à son capitaine, elle continue sa course offensive, ignorant les appels de Jérémy et de Gabriel. D'un crochet, elle élimine le dernier défenseur et, malgré les hurlements de ses coéquipiers démarqués, tente sa chance.

Le tir est puissant.

Le gardien plonge du bon côté.

Mais le ballon est déjà rentré dans les buts.

— Un à zéro pour les Bleus ! s'écrie Requin.

Victoire redescend le terrain avec fierté. Elle est persuadée d'avoir ébloui ses coéquipiers. Mais Tag est loin de voir les choses de cette manière. L'attitude de la remplaçante d'Éloïse ne lui convient pas du tout.

— Deux de nos attaquants étaient démarqués, lui reproche-t-il.

— Mais j'ai marqué ! C'est quoi, le problème ?

— Ta place est dans les buts ! Si tu avais perdu le ballon, on aurait été très mal.

Vexée, Victoire soutient son regard mais ne répond pas. Elle va se replacer.

Le jeu reprend et les Bombes

Atomiques se montrent encore plus agressifs qu'en début de match. Ils veulent à tout prix rattraper leur retard.

Ils pressent devant les buts des Bleus mais la défense tient bon. Sur la ligne de buts, Samira bloque un tir du tibia. Ensuite Victoire écarte deux coups de tête successifs.

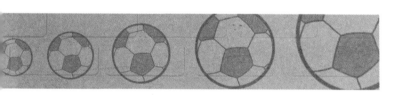

— Allez, faut tenir ! dit Tag pour encourager son équipe.

Une nouvelle attaque des Bombes se dessine et leur capitaine finit par se frayer un chemin à travers la défense. Il tire. Une fois de plus, Victoire parvient à le contrer : des deux poings, elle dévie le ballon. Mais, cette fois, elle décide de ne pas en rester là. Elle poursuit son action et commence à remonter le terrain, ballon au pied – elle joue encore de l'effet de surprise.

— Vic, ça suffit ! rugit Tag. Retourne dans tes buts !

Victoire fait la sourde oreille. Elle continue sur sa lancée et efface les Bombes Atomiques les uns après les autres.

— À ta place, Vic ! insiste Tag, furieux.

Pas question d'abandonner maintenant qu'elle se retrouve

seule face aux buts adverses. Elle déclenche un tir canon qui ne laisse aucune chance au gardien.

Requin siffle.

— But refusé ! déclare-t-il.

Victoire se retourne, scanda-lisée.

— Quoi ? Et pourquoi il serait pas valable ?

— Parce que tu t'es servie de tes mains et de tes pieds pendant la même phase de jeu. Tu as com-mencé l'action en cognant le bal-lon avec tes poings. Je ne crois pas qu'on puisse jouer comme gardien et enchaîner comme attaquant. J'ai jamais vu ça.

Mains sur les hanches, Victoire

n'est pas prête à accepter cette décision.

— C'est pas parce que tu l'as jamais vu qu'on ne peut pas le faire.

— Les règles sont celles qu'on connaît tous, dit le capitaine des Bombes Atomiques. De quel droit tu en inventes d'autres ?

— Vous avez raison, intervient Tag. Le but n'est pas valable.

Victoire n'en croit pas ses oreilles.

— Tu joues avec nous ou contre nous ? lui demande-t-elle avec rage.

— Je joue selon les règles, répond Tag sèchement. Maintenant, tu retournes dans tes buts. Si tu en ressors une seule fois, je te vire du terrain, compris ?

Victoire bouillonne mais elle se contient. Requin siffle la reprise tandis qu'elle va se replacer en ravalant sa fierté.

Pourtant, dès que l'occasion se représente, elle n'hésite pas à quitter une nouvelle fois ses buts pour se lancer dans une contre-attaque en solitaire, malgré les mises en garde de son capitaine.

Malheureusement pour elle, l'effet de surprise ne fonctionne plus et les choses tournent mal. Deux Bombes Atomiques fondent sur elle et réussissent à récupérer le ballon. La suite est prévisible.

L'un d'eux ajuste un long lob qui termine sa course entre les buts vides.

— Un partout ! s'écrie Requin.

Pour Tag, la coupe est pleine. Il se précipite vers Victoire, brandissant un doigt accusateur.

— Je t'avais prévenue. Maintenant, tu sors !

Mais Vic n'est pas du genre à abandonner la partie aussi facilement.

— Tag, c'était qu'une petite erreur... On va se rattraper...

— Peut-être, répond-il, mais sans toi. Je préfère encore jouer à quatre.

Sur le bord du terrain apparaît soudain une silhouette familière.

Tag l'aperçoit et un léger sourire se dessine sur son visage.

— Non, finalement, on va jouer à cinq, ajoute-t-il. Nous sommes au complet !

Victoire se retourne et blêmit d'un seul coup.

— Éloïse ! s'écrie Samira. Mais tu étais où ?

— Un vélo m'a renversée, j'ai dû aller à l'hôpital. Je pouvais pas vous prévenir, j'ai oublié mon portable chez moi.

— Tu vas pouvoir jouer ? demande Tag.

— Si j'ai une bonne défense devant moi, je crois que je m'en sortirai ! répond-elle en lui adressant un clin d'œil complice.

— Mais... Vous voyez bien qu'elle tient à peine debout ! intervient Victoire. Comment voulez-vous qu'elle joue ? Vous êtes sûrs de perdre !

— Peut-être, mais si on perd, on perdra tous ensemble ! rétorque Tag. T'es pas comme nous. Tu joues en ne pensant qu'à toi !

Victoire est blessée. Elle lance à Tag un regard furieux.

— Ne le prends pas mal, Vic ! dit Éloïse pour la consoler. C'est qu'on est une équipe très soudée et...

— ... et bien sûr, moi, je n'ai pas le droit d'en faire partie, c'est ça ? Pourquoi il faut toujours que tu aies tout et moi rien ?

Seul Jérémy peut se permettre de répondre à cette question délicate. Il le fait avec son tact habituel :

— Parce qu'Éloïse est sympa et

que toi, tu n'es qu'une petite pim-
bêche insupportable et capri-
cieuse !

— C'est pas juste ! riposte Victoire avec rage. Je suis meilleure
qu'elle. C'est moi qui mérite d'être
sur le terrain !

— Non, elle n'est pas moins
forte que toi, dit Tag. Par contre,
elle est cent fois moins égoïste !
L'incident est clos. Requin, on
reprend le match !

Épilogue

Et un, et deux, et trois buts consécutifs, marqués par les Bleus !

La fin du match a été une formalité.

Éloïse revenue, l'esprit d'équipe s'est imposé et les adversaires du jour ont dû s'incliner.

Dès le coup de sifflet final, Tag, Samira, Gabriel et Jérémy se précipitent vers la jeune comtesse pour la porter en triomphe.

— Bravo, les Bleus ! s'exclame Requin. Vous avez fait exploser les Bombes Atomiques ! Pour les Bleus, hip-hip-hip, hourra !

Tandis que Tag et sa bande célèbrent leur victoire, une spectatrice ne manifeste aucune joie. Les bras croisés, elle a assisté à la fin de la rencontre, dans l'ombre. Le résultat est loin de la satisfaire.

— On se reverra, Éloïse, siffle-t-elle entre ses dents, d'un ton haineux. Et cette fois, c'est moi qui gagnerai… Je te le garantis !

Quel autre défi attend
les Bleus de Riffler ?

Pour le savoir,
regarde la page suivante

Tag et ses amis sont prêts à jouer un
nouveau match !

Dans

Les Serpents d'Asie

le 22ᵉ tome de la série Foot 2 Rue

Les Bleus partent en voyage à l'autre bout du
monde, pour les qualifications de la Coupe
de foot de rue d'Asie. Dépaysement assuré !
Leurs premiers adversaires,
les Serpents d'Asie, ont un style spécial :
le « kung foot de rue ».
Mais les Bleus de Riffler ont plus
d'un tour dans leur sac...

**Pour connaître la date de parution de ce tome,
inscris-toi vite à la newsletter du site
www.bibliothequeverte.com !**

GÉNÉRATION FOOT2RUE

Les as-tu tous lus?

Saison I

1 Duel au vieux port

2 Goal surprise

3 Mise à l'épreuve

4 L'amitié d'un capitaine

5 Le Lion d'Afrique

6 Les Tigres de papier

7 Naissance d'un rêve

8 Les Diablesses du Bronx

9 Romance brésilienne

10 Carton rou[ge]

11 Stars d'un match

12 Piégés !

13 Arrêt de jeu

14 Pacte avec le diable

15 La Finale

La série Foot 2 Rue relaye les valeurs prônées par les Nations unies dans le cadre de l'Année internationale du sport et de l'éducation physique.

Foot 2 Rue
et les Nations unies

Le sport pour la paix et le développement dans le monde

Le sport développe la solidarité et constitue la meilleure école de vie qui soit. Le sport enseigne des valeurs essentielles comme gérer la victoire et surmonter la défaite. Il nous apprend à nous insérer dans un groupe, à respecter nos adversaires et à suivre les règles. En pratiquant un sport, nous développons la persévérance et la discipline ainsi que le courage et la responsabilité dans la prise de risque.

Les Nations unies défendent les vertus du sport et encouragent les champions à servir de modèles pour les générations futures. À travers l'Année internationale du sport et de l'éducation physique (AISEP 2005), les peuples et les gouvernements du monde entier sont encouragés à pleinement utiliser le pouvoir du sport pour construire un monde meilleur.

Chacun est invité à participer à cette Année internationale du sport. Initiez-vous à un sport ou apprenez une nouvelle discipline à vos amis ; investissez-vous dans les clubs de votre ville ou de votre école ; faites-vous des amis en pratiquant un sport ensemble et réalisez combien le sport est indispensable à une vie plus saine et plus équilibrée.

Pour plus d'informations sur l'année du sport, visitez le site www.un.org/sport2005

GÉNÉRATION FOOT2RUE

Le mondial du foot de rue
Nouvelle saison
Pour être reconnu
Dans toutes les nations
Le mondial du foot de rue
Tous en action
Juste une balle une rue
Une équipe sans crampons

Pas de tenue pour que tout le monde puisse
jouer
Une équipe pour chaque pays du monde entier
Chacun joue pour le goût de l'amitié
Une seule passion et le talent du pied

Génération foot de rue
A notre tour de marquer l'histoire
Génération foot de rue
Tous ensemble pour la victoire

C'est du foot de rue quand on joue hors du
terrain
C'est du foot de rue quand le bitume
t'appartient

Téo

GAOUSSOU

SHANA

SAHRA

BULDOZ

LAURA

LIL SAMBA

BAD MYKY

Table

« Pour l'éditeur, le principe est d'utiliser des papiers composés de fibres naturelles, renouvelables, recyclables et fabriquées à partir de bois issus de forêts qui adoptent un système d'aménagement durable. En outre, l'éditeur attend de ses fournisseurs de papier qu'ils s'inscrivent dans une démarche de certification environnementale reconnue. »

Composition **Nord Compo** – Villeneuve d'Ascq

Imprimé en France par Jean-Lamour - Groupe Qualibris
Dépôt légal : avril 2009
20.07.1840.6/01 – ISBN 978-2-01-201840-2
Loi n°49-956 du 16 juillet 1949
sur les publications destinées à la jeunesse

Bryan